Conception graphique : Quelle Histoire
Illustrations : Bruno Wennagel, Mathieu Ferret, Guillaume Biasse
Textes : Patricia Crété

80, rue des Haies 75020 Paris

Imprimé en France par Stin Imprimerie - Toulouse
Fabriqué par Labelfab www.labelfab.fr

LE DÉBARQUEMENT

6 JUIN 1944

5 ans de guerre

En septembre 1939, l'Angleterre et la France déclarent la guerre à l'Allemagne qui a envahi la Pologne. Très vite, la France est occupée. Le 22 juin 1941, les armées allemandes attaquent leur ancien allié, l'Union soviétique. Pendant ce temps-là, les Japonais bombardent le 7 décembre 1941, le port américain de Pearl Harbor, provoquant l'entrée en guerre des États-Unis. La guerre est devenue mondiale. Les Soviétiques demandent alors aux Américains d'ouvrir un second front, à l'Ouest, pendant qu'eux se battent à l'Est, permettant de prendre ainsi l'Allemagne en tenaille. Le principe d'un débarquement est validé. Des civils vont préparer le terrain – sans se montrer, dans la clandestinité. Ce sont les Résistants.

1939-1944

Le Mur de l'Atlantique

Hitler, le chef de l'Allemagne, redoute un débarquement des Alliés et, en 1942, il demande au général von Rundstedt de fortifier toute la côte atlantique : 4 400 kilomètres du cap Nord, en Norvège, aux Pyrénées, dans le sud de la France. Il lui donne le nom de Mur de l'Atlantique. Mais il ne s'agit pas d'un mur. Plutôt d'une série de casemates, appelées « blockhaus » - on en comptera 15 000 - et de fortifications autour des ports, construites pour empêcher tout débarquement. Un chantier colossal confié à une entreprise allemande, l'Organisation Todt, qui va obliger un certain nombre de jeunes Français à y travailler.

1942

Opération Overlord

En décembre 1943, le président américain Franklin Roosevelt nomme Dwight Eisenhower, surnommé Ike, responsable militaire du débarquement en Europe. Ike et ses alliés (Anglais, Canadiens, Australiens et Néo-Zélandais) mettent au point cette opération, baptisée Overlord. Il faut produire des milliers de bateaux, d'avions et de péniches. 3 millions d'hommes rejoignent le sud de l'Angleterre qui devient un vaste camp d'entraînement militaire. Tous devront lui obéir – ce qui ne sera pas toujours très facile. Quant aux Français libres – ceux qui ont rejoint le général de Gaulle à Londres en 1940 – ils seront intégrés aux unités britanniques.

1944

Les Résistants français

La date du débarquement est fixée : ce sera le 6 juin 1944. Le lieu aussi : les plages normandes du Cotentin. Les Résistants, dirigés par le général de Gaulle depuis Londres, ont reçu l'ordre de saboter, c'est-à-dire de détruire, les voies de chemin de fer et les ponts, grâce à des messages secrets transmis à la radio (la « BBC ») : « Les sanglots longs des violons de l'automne », le 1er juin, les met en alerte ; « Bercent mon cœur d'une langueur monotone », le 5 juin, leur donne le feu vert pour agir. Chaque ville de Normandie possède son propre réseau d'hommes et de femmes, prêts à désorganiser l'armée allemande.

1944

Les parachutistes en action

Dans la nuit du 5 au 6 juin, les parachutistes sont largués : des Américains et des Britanniques à l'arrière des plages du Débarquement doivent attaquer les Allemands par surprise et détruire leurs canons. D'autres doivent s'emparer des ponts. Leurs sacs sont très lourds car ils transportent des armes, bien sûr, mais aussi des vêtements de rechange, de l'eau, une trousse de secours. Pour se retrouver dans la nuit, les Américains ont chacun un petit jouet qui imite le chant du criquet. Et certains transportent dans une boîte un pigeon voyageur qui leur permettra d'envoyer à leurs chefs des renseignements importants sur la position de l'ennemi.

Le « Jour J » (*D-Day* en anglais) vient de commencer.

---

6 JUIN 1944

0h15

Les préparatifs

À l'aube, 5 000 bateaux et péniches de toutes tailles achèvent la traversée de la Manche. Le temps est brumeux, au loin la côte normande reste invisible. Les soldats commencent à quitter les gros navires pour les petites barges à fond plat qui leur permettront de gagner les plages. La plupart sont malades car la mer est très mauvaise. À 5h45, les navires alliés bombardent les blockhaus allemands. Un quart d'heure plus tard, ce sont les avions qui larguent leurs bombes, mais le ciel est nuageux et beaucoup ratent leur objectif. Ce qui va être catastrophique pour la suite.

---

6 JUIN 1944

6h00

Surprise chez les Allemands

Les Allemands sont certains que s'il y a un débarquement, il se fera au nord, dans le Pas-de-Calais, l'endroit le plus proche des côtes anglaises. En Normandie, donc, ils passent une nuit tranquille. Rommel, le chef allemand des armées du Nord, est parti à Paris pour la soirée. Seul von Rundstedt est présent. À l'aube du 6 juin, les soldats se réveillent au bruit des bombardements et des tirs alliés, ils découvrent une multitude de bateaux au large. Ils n'en croient pas leurs yeux. Il faut agir, vite. Mais, à l'état-major allemand, ordres et contre-ordres retardent l'arrivée de renforts.

---

6 JUIN 1944

6h15

Omaha Beach

Cinq plages («beach» en anglais) ont été choisies: Omaha, Utah, Gold, Sword et Juno. Entre 6h30 et 7h30, par vagues successives, les Américains arrivent, à Omaha. Les Allemands ont reçu l'ordre d'attendre que les premiers hommes marchent sur le sable avant de tirer. C'est l'enfer. Les uns après les autres, ils sont fauchés par les balles. À midi, la marée monte, rendant encore plus difficile le débarquement qui continue malgré tout. Un photographe est arrivé avec le premier groupe: Robert Capa, il sera le seul à faire des photos de ces instants historiques.

6 JUIN 1944

6h30

Prise des têtes de pont

Les parachutistes largués dans la nuit sécurisent le pont de Bénouville, dans la campagne normande, qui doit permettre la progression des hommes qui ont débarqué sur Sword Beach. Parmi eux, le brigadier général écossais Lord Lovat, armé d'un fusil de chasse, pantalon de velours et col roulé. Il met pied à terre vers 7h30, accompagné de son joueur de cornemuse personnel. Ce dernier encourage ses hommes et les 177 fusiliers-marins du commando Kieffer – les seuls Français débarqués ce jour-là. À 13h30, Lovat et son musicien font leur jonction avec le major Howard et ses parachutistes campés sur le pont.

---

6 JUIN 1944

13h30

Vers la victoire des plages

Lorsque la nuit tombe, la situation générale reste confuse. Mais aucune troupe n'a rembarqué, ce qui est déjà un succès. Et plus de 133 000 hommes ont débarqué, embouteillant les plages pour plusieurs jours encore. Les Allemands continuent de résister, même si un certain nombre de blockhaus sont tombés. La progression à l'intérieur des terres se fait lentement, malgré les bombardements aériens massifs des Américains sur les ponts et les villes. Caen est gravement touchée dans la matinée. Carentan, Valognes, Coutances, Vire et Saint-Lô deviennent des champs de ruines. Finies les plages, la bataille de Normandie ne fait que commencer...

---

6 JUIN 1944

20h00

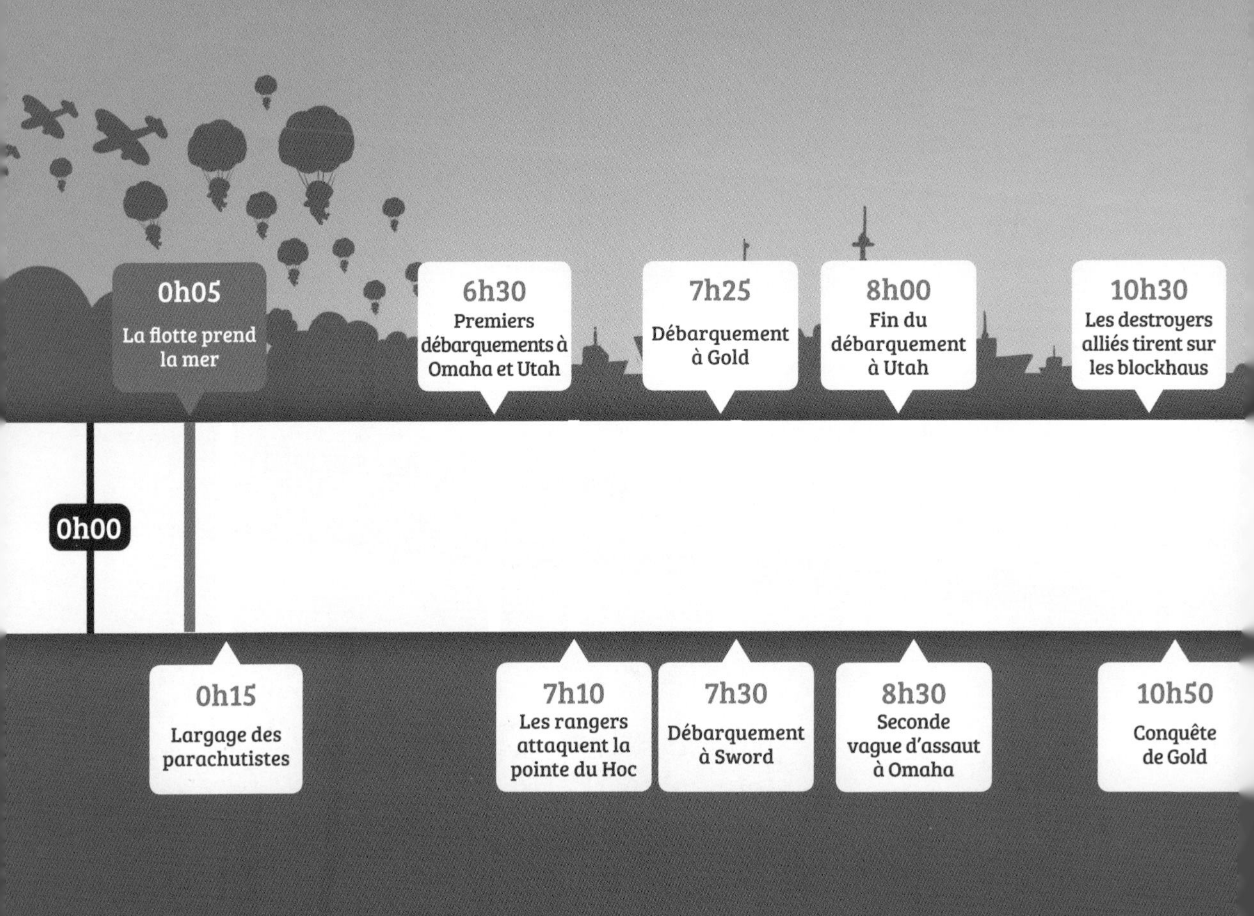
0h05
La flotte prend la mer
6h30
Premiers débarquements à Omaha et Utah
7h25
Débarquement à Gold
8h00
Fin du débarquement à Utah
10h30
Les destroyers alliés tirent sur les blockhaus
0h00
0h15
Largage des parachutistes
7h10
Les rangers attaquent la pointe du Hoc
7h30
Débarquement à Sword
8h30
Seconde vague d'assaut à Omaha
10h50
Conquête de Gold

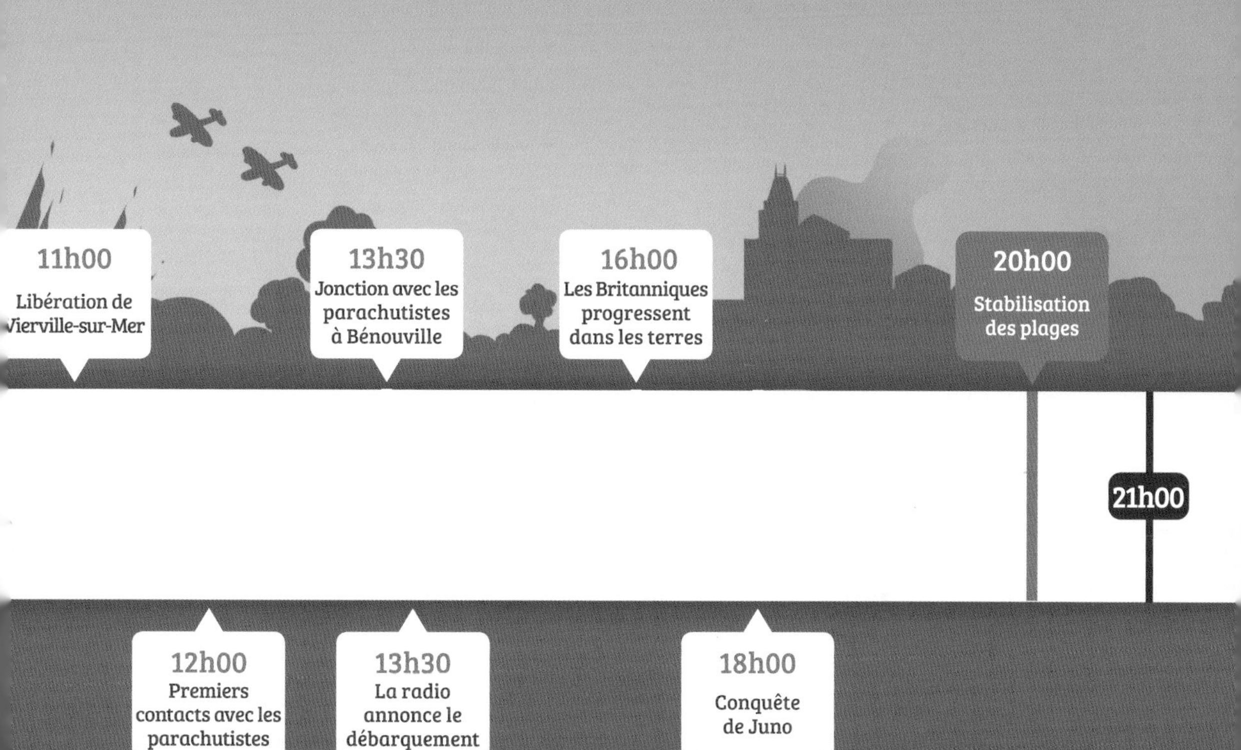

11h00
Libération de Vierville-sur-Mer
12h00
Premiers contacts avec les parachutistes
13h30
Jonction avec les parachutistes à Bénouville
13h30
La radio annonce le débarquement
16h00
Les Britanniques progressent dans les terres
18h00
Conquête de Juno
20h00
Stabilisation des plages
21h00

A N G L E T E R R E
1
1
1
1
1
1
2
3
4
5
6
F R A N C E
Le Débarquemen

Légende de LA CARTE

1 Sud de l'Angleterre

Dans tous les ports anglais, les flottes alliées sont regroupées selon leur pays d'origine : de New Haven à Falmouth en passant par Porstmouth et Southampton on se prépare au Débarquement.

2 Utah Beach

Destination des troupes américaines du Major Collins, la plage se trouve au nord de Pouppeville, elle est défendue par une batterie allemande. Le débarquement est un succès : 200 morts seulement.

3 Omaha Beach

La plage de 6 kilomètres est défendue par une batterie allemande sur la pointe du Hoc. Plus de 4 000 soldats américains vont y mourir. On l'appellera « Omaha la sanglante ».

4 Gold Beach

Située au centre, entre les villes d'Asnelles et de Ver-sur-Mer, la plage est l'objectif des Britanniques qui débarquent 25 000 hommes dans la seule journée du 6 juin. L'opération fait 413 morts.

5 Juno Beach

La plage borde les villes de Courseulles, Bernières et Saint-Aubin. Les Canadiens réussissent à mettre à terre plus de 20 000 soldats et 3 000 véhicules, ils font la jonction avec Sword Beach.

6 Sword Beach

Entre Ouistreham et Saint-Aubin, 29 000 Britanniques débarquent avec les 177 Français du commando Kieffer et plus de 2 600 véhicules. Ils rejoignent les soldats de Juno Beach et les parachutistes.

Forces nazies

Forces américaines

Forces britanniques

Forces canadiennes

Les portraits

Winston Churchill

(1874-1965)

Premier ministre de Grande-Bretagne, il prend toutes les décisions. Il prévient son peuple qu'il faut se battre et que la guerre sera difficile. Il a toujours un cigare aux lèvres.

Dwight Eisenhower

(1890-1969)

Surnommé Ike, ce général américain organise l'opération « Overlord » . C'est un excellent tacticien de la guerre et un très bon diplomate. Il sera président des États-Unis en 1953.

Bernard Montgomery

(1887-1976)

Officier général britannique, il commandera l'ensemble des forces terrestres alliées lors du Débarquement. Il sera critiqué à cause de certaines de ses décisions en Normandie.

Adolf Hitler

(1889-1945)

Il est chancelier (c'est-à-dire président) de l'Allemagne. Il va envahir de nombreux pays et maltraiter les populations. Il ne supporte pas la défaite de l'Allemagne et finit par se suicider.

Le Jeu du

CHERCHE & TROUVE

Cherche et trouve les éléments suivants dans le décor de droite :

L'infirmier

L'écureuil

Le drapeau américain

Le joueur de cornemuse

Le château de sable

Le ballon

L'oiseau vert

L'oiseau rouge

L'oiseau bleu

Eisenhower

Le soldat à la bouée

Le requin

L'alpiniste

Robert Capa

Le soldat au grappin

Le soldat malade

La taupe

La grenade allemande

La grenade américaine

Le soldat Ryan

PA30-31
PA01-62
PA20-04
PA36-40

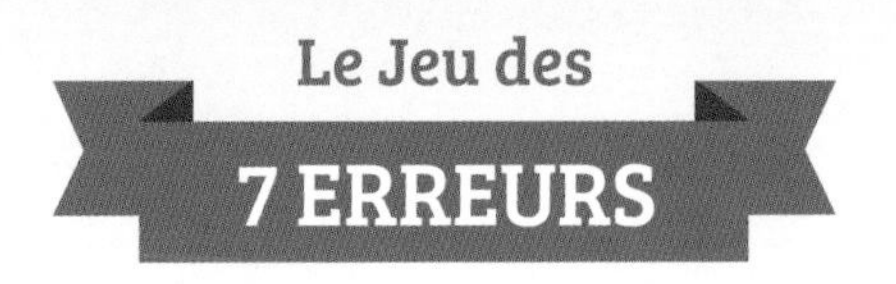

Trouve les 7 différences entre l'image de gauche et l'image de droite

Solution : le nuage ; le bateau ; la sacoche ; la moustache ; les mouettes ; le casque ; l'étoile de mer

Aide le soldat américain à retrouver son casque

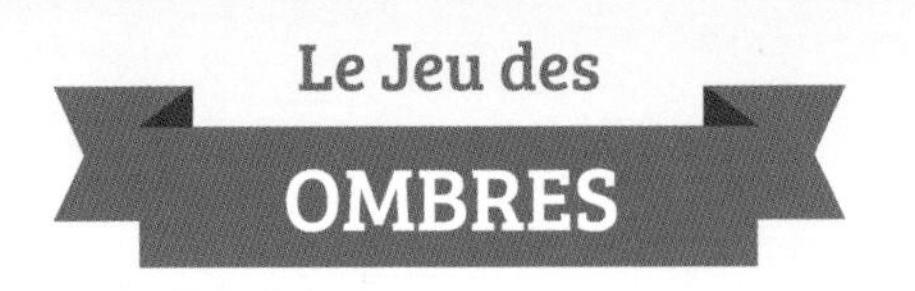

Retrouve la bonne ombre du soldat américain

Bonne réponse : l'ombre b

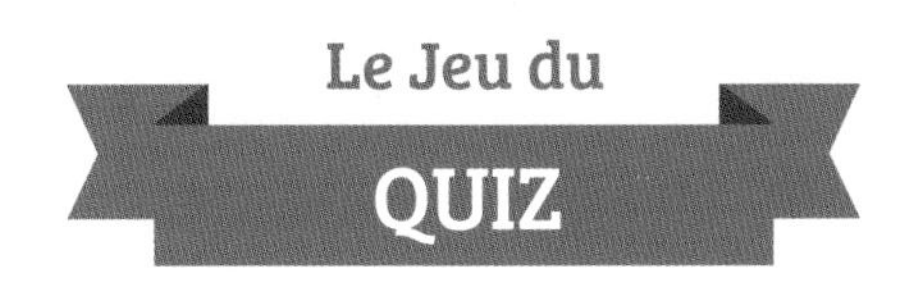

1. Quel était le nom de code du débarquement ?

   a. Overlord b. Barbarossa

   c. Phoenix d. Alpha

2. Quand s'est déroulé le débarquement ?

   a. 6 juin 1945 b. 6 juin 1943

   c. 6 juin 1942 d. 6 juin 1944

3. Le débarquement s'est effectué sur les plages...

   a. du Nord b. de Normandie

   c. de Méditerranée d. du Sud-Ouest

Bonnes réponses : 1.a / 2.d / 3.b

La collection Histoire jeunesse

pour apprendre en s'amusant !

Disponibles en librairie :

Histoire de France

Vercingétorix

Charlemagne

Jeanne d'Arc

De Vinci

François Ier

Louis XIV

Marie-Antoinette

Napoléon

De Gaulle

Mandela